Uka Arrendatarios de Intención uka Qillqata

Ukata

Michael Laurence Curzi sat jilataw ukham lurapjjäna

36N9
Genetics

Uñt'ayata 04-03-2024

36N9 Genética LLC ukax mä juk'a
pachanakanwa

PO BOX 6. Ukaxa mä juk'a pachanakwa
lurasi

Calpine, CA 96124-0006 ukat
juk'ampinaka

Estados Unidos markanxa

Chiqanchata

Tzaddik HaMoshiach jupatakixa,

Khitinakatakis aka irnaqäw librox mä inspiración ukhamarak khitinakan utjatapax aka pachanx walpun faltasta. Jumax wali munatätawa ukat amuyumarux waljaniruw wali askit uñjapxi. Jumax aka amtar puriwaypachätawa, jumax k'ari zorro jumax jichhax velo mayni tuqin samart'askta ukhas. Juman

UKA 33 ARRENDATARIOS DE INTENCIÓN UKA QILLQATA

SAMARAÑAX SUMANKAÑ APANIPXPAN TZADDIK!!!

GRATUIDADE S UKANAKA

QULLQIX TAQINITAK CH'AMAWA. JUMATIX AKA LURAWIX MUNASSTA UKAT WALJA YÄNAKAMPI YANAPT'STA UKHAX MÄ CHIMPUNAK MAYJT'ÄWINAK CHURAÑ AMTAÑAMAWA. ¡NAYRAQAT YUSPAJARAPXSMA! DIOS(LESS) BENDICIPXAM!!!

VENMO

Michael Curzi
@Michael-Curzi3

venmo

Paypal

ukax mä juk'a pachanakanwa

Nayraqata

Ukhamajj aka libro liyt'asajj akanktawa. Ukajj janiw mä accidentekïkiti. Inas jumax mä khititix aka categorías ukanakat maynir jaqukipki ukhamästa:

+ Jumaw nayar uñt'ista

+ JUMAX JAYSÄWINAK THAQHASKTAXA

+ UÑCH'UKIRI

+ JAN UKAX JUMAX NAYAMPJAMAX MÄ OUTLIER UKHAMÄTAWA

KAWKÏR CATEGORIARUS MANTASMA, JANIW KUNÄKISA. KUNATÏ WALI WAKISKIRÏKI UKAJJA, KUNTÏ AMUYKTA UKAT KUNTÏ AMTKTA UKANAKAWA. AKA LIBRO LIYT'ASAJJ WALI SUMA UÑNAQT'ANÏÑ AMTASKSTA UKHAJJA, AKA LIBROJJ JANIW JUMATAKÏKITI. INTENCIÓN IRNAQAWIX MÄ SUTIL ARE CONSECUENCIAS JAYA CHIQANAKAR PURIÑKAMAW JAKÄWIMAT SIPANS JUK'AMPI; KUNA KUSISIÑATÏ JUMAX SUYKTA UKAX CHIQPACHAPUNIW KUNJAMÄKITIX UKHAMA. AKAX JANIW POPULARIDAD UKAKITI, AKAX CHIQPACH UÑT'AYAÑATAKIWA. UKA RESULTADONAKAX SAPA KUSISIÑAKIW JUMANAKAX MUNAPXÄTA; JAN UKHAMÄKANIXA, ¡JAN TUKUSKIR JAN KUSISIÑAMPIW UÑJASISMA! MANQHARU CH'ALLT'AÑATAKI

WAKICHT'ATÄSTA UKHAXA, UKA
PANKANAKANX CHHAQT'AÑAMAWA.
JANITÏ MANQHAR CH'ALLT'AÑ
MUNSTA UKHAXA, CHHAQTXAÑAMAWA
KUNATIX AKAX JANIW JUMATAKIKITI!!!

UKHAMARUS AKA IRNAQÄW
QILLQATAX JANIW GRADUACIÓN
UKANKITI UKATX TUKUYAÑAX
PURAPAT JUMA PACHPAN ASKIPATAKI.
SAPA MAYNI JISKT'AWINAK TAQPACH
PHUQHAÑATAKIX TAQI CH'AMAMPIW
CH'AMACHASIÑAMA KUNATIX
UKHAMATWA AKA IRNAQÄW
QILLQATAT JUK'AMP ASKINAK
JIKXATAPXASMA ...

Uka 1ri Arrendador de Intención ukaxa

Jumatï llakisksta ukhajja, ukajj wali wakiskiriwa; jan llakiskäta ukhaxa, janiw kunäkisa; amuyunakam mayjt'ayasma ukhaxa, taqpach mayj mayjawa.

AKA TENNANT UKAX MÄ JACH'A CHIQPACH UÑAKIPÄW UÑACHT'AYI KUNJAMATIX ESTADO MENTAL UKAX CHIQPACH UÑTAWIMANX UKHAMA. MATERIA UKAX AMUYUN UTJASPAWA, KUNJAMATIX SUSTANCIA UKAT MATERIAL UKHAMARAKI. AMUYUNAKAM MAYJT'AYAÑAJJ CHEQPACH MAYJT'AYAÑATAKEJJ WALI WAKISKIRIWA. YATIÑAJJ KUNANAKTÏ MAYJT'AYAÑASA UKAT KUNANAKTÏ SUM JAYTAÑASA UKANWA UTJI. UKAJJ KUNJAMSA JIKJJATASIPJJE UKAT KUNJAMSA JIKJJATASIPJJE UKA TOQETWA YANAPT'ARAKI.

Aka lurawi qillqatanxa 3 amtanaka uñt'ayañamawa:

1. 1. Ukaxa mä juk'a pachanakwa lurasi.

_____

_____

_____ Ukaxa mä juk'a pachanakwa lurasi.

2. 2. Ukaxa mä juk'a pachanakwa lurasi.

_____

_____

_____ Ukaxa mä juk'a pachanakwa lurasi.

3   .

_____

_____

_____   .

11 KUNANAKTÏ JAKÄWIMAN JUK'AMP SUM AMUYT'AÑATAKEJJ MAYJT'AYASMA UKANAK QELLQT'ASIM:

1. 1. UKAXA MÄ JUK'A PACHANAKWA LURASI.

_____

_____

_____ UKAXA
MÄ JUK'A PACHANAKWA LURASI.

2. 2. UKAXA MÄ JUK'A PACHANAKWA LURASI.

_____

_____

_____ UKAXA

MÄ JUK'A PACHANAKWA LURASI.

3 .
_____
_____
_____ .

4 .
_____
_____
_____ .

5 .
_____
_____
_____ .

6 .
_____
_____
_____ .

7 .
_____
_____
_____ .

8   .
_____
_____
_____ .

9   .
_____
_____
_____ .

1   O   .
_____
_____
_____ .

1   1   .
_____
_____
_____ .

Uka 2ri Arrendador de Intención ukaxa

¡Energía ukax janiw luratäkaspati (+) jan ukax t'unjatäkaspati (-), ukampirus amplificado (x) ukat jaljatäspawa (÷)!

Kunjamakitix mä fundamental Tennant de ambos física ukat

14206

INTENCIÓN UKANAKAX PANPACHANIW IRNAQAPXI, ENERGÍA UKAX JANIW KUNJAMTIX UTJKI UKHAMARJAM LURATÄKASPATI NI T'UNJATÄKASPATI. MAYSA TUQITXA ENERGÍA UKAXA PERMUTADA UKHAMAWA YAQHA EXPRESIÓN UKARUXA INTENCIÓN UKATXA JAN UKAXA MECANISMO UKAMPI PROCESO DE AMPLIFICACIÓN AKA TUQI. KUNAYMANA KASTA CH'AMAMPI WALJAPTAYAÑA UKHAMARAKI JALJAÑA AKA. CH'AMAXA KUNAYMANA JAWIRANAKARU JALJAÑA. UKAX UKA DIMENSIÓN DE ENERGÍAS UKAR MAYJT'AYAÑAWA.

3 TUQINAKAT QILLQT'ASIM KAWKHANTIX JUMAX CH'AMANCHASMA UKAT JAN UKAX MAYJT'AYASMAWA JAKAWIRU, UKHAMAT JUMATAKIS UKHAMARAK AKAPACHANKIRINAKATAKIS JUK'AMP ASKINAK LURAÑATAKI:

1. 1. Ukaxa mä juk'a pachanakwa lurasi.

_____
_____
_____ Ukaxa MÄ JUK'A PACHANAKWA LURASI.

2. 2. Ukaxa mä juk'a pachanakwa lurasi.

_____

_____

_____ UKAXA
MÄ JUK'A PACHANAKWA LURASI.

3   .

_____

_____

_____ .

KUNJAMSA JAKÄWIMSA UKAT
JAK'ANKIR JAQENAKAS JUK'AMP
SUMÄSPA UK AMUYT'AÑATAKEJJ
KUNATÏ CH'AMANÏKI UKAT JAN
CH'AMANÏKTA UKANAK CHEQAPARJAM
QELLQAÑAMAWA. MÄ 2 PANKAN
QILQT'AT QILLQT'AÑAMAWA, UKATX
WAKISKIRJAM UÑAKIPT'AÑAMAWA:

_____

_____

_____

_____

_____

_____

_____

_____

Uka 3ri Arrendador de Intención ukaxa

¡Kuntix manq'apkta ukax jilxatiwa, kunatix

19206

MANQ'AT AWTJATAX JIWXIWA!

Aka Arrendador ukax uñacht'ayi kunjams jumatix aspectos particulares de la realidad ukar ch'amam churasma, jupanakax juma manqhan ukhamarak jan juman jilxattapxi ukat jan aspectos particulares de la realidad ukar ch'amam churapkäta ukhax chhaqtapxaniw ch'amamat manq'at awtjata. Ukax amtanakatakix chiqäskapuniwa, kunjamatix taqi jakawinakatakis ukhamarak jiwasan aparatonakasatakis ukhamarakiwa.

11 AMTANAKA ukat kunjamsa jumax manq'añ munta ukat ukhamatwa jakäwiman jilxattañ munta uk qillqt'asim:

1. 1. UKAXA MÄ JUK'A PACHANAKWA LURASI.

_____

_____

_____ UKAXA
MÄ JUK'A PACHANAKWA LURASI.

2. 2. UKAXA MÄ JUK'A PACHANAKWA LURASI.

_____

_____

_____ UKAXA
MÄ JUK'A PACHANAKWA LURASI.

3   .

_____

_____

_____ .

4   .

_____

_____

_____ .

5 .

_____
_____
_____ .

6 .

_____
_____
_____ .

7 .

_____
_____
_____ .

8 .

_____
_____
_____ .

9 .

_____
_____
_____ .

1   O   .

_____

_____

_____ .

1   1   .

_____

_____

_____ .

11 KUNA AMUYUNAKAMPI UKAT AMTANAKAMPI JAN JUK'AMP YANAPT'KIRISTAM UKANAK QELLQT'AM, UKANAKJJA NAYRA TIEMPON JAYTAÑATAKEJJ MANQ'AT AWTJATÄÑWA MUNASMA:

1. 1. UKAXA MÄ JUK'A PACHANAKWA LURASI.

_____

_____

_____ UKAXA MÄ JUK'A PACHANAKWA LURASI.

2. 2. UKAXA MÄ JUK'A PACHANAKWA LURASI.

_____

_____

_____ UKAXA

MÄ JUK'A PACHANAKWA LURASI.

3 .

_____

_____

_____ .

4 .

_____

_____

_____ .

5 .

_____

_____

_____ .

6 .

_____

_____

_____ .

7 .

_____

_____ .

8   .

_____

_____ .

9   .

_____

_____ .

1   0   .

_____

_____ .

1   1   .

_____

_____ .

UKA 4RI ARRENDADOR DE INTENCIÓN UKAXA

INVERSO DE RELATIVIDAD $(E = MC^2)$ UKAX SINGULARIDAD UKAWA

$1/(E = MC^2)$ UKAT JUK'AMPINAKA!

TAQI KUNAS SINGULARIDAD UKAR UÑTASITAWA. UKHAM SASINX RELATIVIDAD UKAX SINGULARIDAD

26206

UKAR INVERSA EXPRESIÓN UKAWA. RELATIVIDAD UKAT SINGULARIDAD UKANAKAX MAYACHT'ASIS JUK'AMP CH'AMANIWA, BOMBA ATÓMICA UKAR UÑAKIPT'AÑAKIW WAKISI; ¡JICHHAX AMUYAÑAMAWA, AMUYUNAKAMAX UKAT AMTANAKAMAX UKHAMARAKIW CH'AMANÏSPA!

UKHAMARAKI, 11 KUNANAKTÏ AMTÄWINAK LURAÑ TUQITX MÄ JUK'A CH'AMANÏKI UKANAK QILLQT'AÑAMAWA:

1. 1. UKAXA MÄ JUK'A PACHANAKWA LURASI.

_____

_____

_____ **UKAXA MÄ JUK'A PACHANAKWA LURASI.**

2. 2. UKAXA MÄ JUK'A PACHANAKWA LURASI.

_____

_____

_____ **UKAXA MÄ JUK'A PACHANAKWA LURASI.**

3 .

_____

_____

_____ .

4 .

_____

_____

_____ .

5 .

_____

_____

_____ .

6 .

_____

_____

_____ .

7 .

_____

_____

_____ .

8 .

_____

_____
_____ .

9   .

_____
_____ .

1   O   .

_____
_____ .

1   1   .

_____
_____ .

MÄ 2 PANKAN QILQT'ÄW QILLQT'AM, UKAX MECÁNICA ENTRE RELATIVIDAD UKAT SINGULARIDAD UKANAK SAPA URU JAKAWIMANX AMUYUNAKAPARJAM UÑT'AYAÑAMAWA, AMTAÑAMAWA AKAX JANIW GRADUADO UKHAMÄKITI, AKAX AMUYUNAKAMAR IRNAQAÑ YANAPT'AÑATAKIWA:

_____

_____

_____

_____

_____

_____

_____

_____

_____

_____

_____

_____

_____

_____

_____

_____

_____

—   —   —   —   —   —

_____

_____

_____

_____

_____

_____

_____

_____

_____

_____

_____

_____

UKA 5 RI ARRENDADOR DE INTENCIÓN UKAXA

AMUYUNAKAX ARRENDATA, JANIW, UTJKÄNTI.

32206

Aka Arrendador ukax kunjams amuyt'awix mä ch'amaw jalluqt'i ukat janiw kunatix jiwasanakan utjkistu jan ukax jiwasanakan utjkistu uk uñacht'ayi. **Kunjamatix** akashic biblioteca aka. campo cuántico, radio dial ukham amuyunakaruw sintonizapxtanxa, janiw amuyunakax utjkiti. ¡Ukatxa amuyunakasa, chuyma ch'allxtawinakampiw amtanakasar sawuñasa!

MÄ 4 PANKA ENSAYO QILLQT'AÑAMAWA DETALLE EXPRESIVO UKAR SARASA KUNJAMATIX KUNJAMS AMUYUNAKAM SINTONIZA UKAT KAWKIRUS AMUYUNAKAMAX SARASKI KUNAPACHATIX SARNAQKI UKHAXA. AKAX AMUYT'AWINAK JIKXATAÑ YANAPT'AÑATAKIW KUNJAMATIX KUNJAMS AMUYUNAKAX UKHAMARAK

SINTAXIS MENTALES UKANAKAX AMTANAKAMP ASKINCHAÑAX WAKISI:

_____
_____
_____
_____
_____
_____
_____
_____
_____
_____
_____
_____
_____
_____
_____
_____
_____
_____
–   –   –   –   –   –
_____
_____
_____

_____

_____

_____

_____

_____

_____

_____

_____

_____

_____

- -

_____

_____

_____

_____

_____

_____

_____

_____

_____

_____

_____

_____

_____

Uka 6ri Arrendador de Intención ukaxa

Schismo ' s Ley: kunatix yaqha chiqanx posable ukax akanx lurasirakispawa, churatawa: ukax yaqha chiqanakat luratawa!

Jumax jaya pachat acción spooky tuqit jiskt'asirïtati aka.

37206

MECÁNICA CUÁNTICA UKA TUQITA. UKHAMAW LURASI. JIWASAN CHIQPACH JAKAWISAX (∞ +1) POSIBILIDADES UKANAKAT MAYNÏRIWA . UKA LURAÑANAK TAYPINXA, KUNAS LURASISPAWA. MÄ JUK'A ARUMPIXA AKA CHIQPACH LURAWI AMTANAKAMAMPI LURAÑATAKIXA, YAQHIPA PACHAXA YAQHA CHIQATA LURAÑAWA WAKISI. KUNAYMAN PACHANAKA UKAT REINONAKAX KAMACHI UNIVERSAL UKARUX MAYJ MAYJ APNAQAPXI UKAT UKHAMA, KUNAYMAN ESTRUCTURAS DE ORDENANZAS UKANIPXI, UKA KAMACHI UNIVERSAL UKAN KUNAYMAN APNAQAWINAKAPARJAMA!

MÄ YAQHA CHIQPACH AMUYT'AÑÄNI, UKAX KAWKHANS UTJI, UKAMPIS, AKA URAQIN UTJI. JICHHAX 11 KUNANAKTÏ UKAN LURAÑJAMÄKI UKANAK QILLQT'AM, UKANAKXA JANIW AKAN LURAÑJAMÄKITI. QHANAÑCHIRI UKAT QHANAÑCHT'AÑAMAWA DETALLES UKANAKAMPI:

1. 1. UKAXA MÄ JUK'A PACHANAKWA LURASI.

_____

_____

_____ UKAXA MÄ JUK'A PACHANAKWA LURASI.

2. 2. UKAXA MÄ JUK'A PACHANAKWA LURASI.

_____

_____

_____ **UKAXA**

MÄ JUK'A PACHANAKWA LURASI.

3   .

_____

_____

_____ .

4   .

_____

_____

_____ .

5   .

_____

_____

_____ .

6   .

_____

_____

_____ .

7   .

_____

40206

_____

_____ .

8   .

_____

_____

_____ .

9   .

_____

_____

_____ .

1   0   .

_____

_____

_____ .

1   1   .

_____

_____

_____ .

Jichhax uka yaqha chiqat aka chiqan luratanakap luraskta uk amuyt'am. Sapa uruw ukham yatiqañama.

Uka 7ri Arrendador de Intención ukaxa

¡Jan ch'amapampixa, ¡Jichhax nayax utjwa!

Definición tuqitxa, janiw kunas jan utjkiti. Dis ukhamäspa ukhaxa, jank'akiw negaspa ukat janiw kunäkaspas ukhamäkaspati. Uka cero absoluto ukar jak'achasiñax jichha pachankiwa.

KUNATIX NAYRA PACHANAKAS JAN
KUNAS BOT UKAX JANIW UTJKITI,
TAQI CH'AMASAX JUTÏR PACHAN
PROBABILIDAD UKARUW JICHHAX
JICHHA PACHANX UTJI!

MÄ LISTA LURAÑAMAWA 11 ADJUNTOS UKANAKAX JARK'ATAWA AKA CHIQAN UKHAMARAK JICHHAX UKANKAÑAPATAKI:

1. 1. Ukaxa mä juk'a pachanakwa lurasi.

_____
_____
_____ Ukaxa mä juk'a pachanakwa lurasi.

2. 2. Ukaxa mä juk'a pachanakwa lurasi.

_____
_____
_____ Ukax mä juk'a pachanakanwa.

3   .
_____
_____
_____ .

4 .

_____

_____

_____ .

5 .

_____

_____

_____ .

6 .

_____

_____

_____ .

7 .

_____

_____

_____ .

8 .

_____

_____

_____ .

9 .

_____

_____
_____ .

1   O   .

_____
_____
_____ .

1   1   .

_____
_____
_____ .

DRAGÓN NINAMP Q'UMACHATÄKASPAS UKHAM AMUYT'AÑÄNI, UKA NINAX KUNTÏ JAYTAÑ MUNKTA UKAK PHICHHANTARAKI. MÄ JUK'A CHUYMA UKAR UCHAÑAMAWA UKAT BLOQUEOS UKANAKAX VAPORIZADOS UKAT CHHAQT'ATAW JIKXATASI. UKJJA SAPA URUW WAKISKI UKARJAM LURAÑAMA.

Uka 8ri Arrendador de Intención ukaxa

¡Taqi Thakhinakax mä amtaruw puriyi!

Aka chiqan jisk'aptayat akapachankir religionanakat amuyt'añäni:

Uraqpachan religionanakax jisk'aptayatawa

47206

Taoismo sat yupaychäwi
Nayax maynit maynikamaw uñjta; ukat maynix mayniwa.

Judaísmo sat yupaychäwi
Nayax luratanakarux amuyta, ukat lurayirix nayaruw amuyt'i.

Cristianismo sat yupaychäwi
Kunatï mayacht'atäñajja, janiw kuna contras utjkiti.

Islam ukax wali askiwa
Mä Diosakiw utji ukat TAQI kunaw utji; Mä Armónico taqpacha.

Zoroastrianismo sat yatichäwi
Nayax warawaranakaruw uñch'ukiskta, ukat TUKUY uka manqhan qhant'atawa.

Hinduismo sat yupaychäwi
Walja diosanakaw utji, ukat mayakiwa
Jiwaki.

Budismo sat yupaychäwi

Uka amukt'añanxa, nayax armasxayätwa ukat uñjaraktwa, ukax NAYAX UTJWA.

Druidismo sat yatichäwi
Nayax kuntix nayax naturalezajan uywawaykta ukx uñacht'ayaraktwa.

Hermética ukaxa wali ch'amawa
Nayax manqhan ukhamarak anqan jikxataski uka chiqa yatichäwinak uñt'ta.

Totamismo ukax wali askiwa
Uka amukt'añanxa, i buzz with ALL Essence; ukampis naya pachpat armasim.

Wicca
Diosan(diosa) pecho manqhanx luratanakaruw katuqta ukat lurayirimpiw jaqichastxa.

Taqi luratanakan uñacht'äwinakapax pachpa destino ukat mä amtampiw apasi; ukatakix uka ser ukax ∞ +1

UKHAMAWA TAQI KUNAYMAN LURAWINAKAN TAQI POSABLE TUQINAKAN EXPERIMENTAR. KUNATIX JAN TUKUSKIRÏKI UKAX LURASISPAWA, UKATWA LURATANAKA TAYPINX JAN TUKUSKIR UÑACHT'ÄWINAKAX UTJI. UKHAMARAKI KUNATIX SAPA PACHANX MACHAQ AMUYUNAKAX MACHAQ MAYACHT'ASIWINAKAT LURATAWA, UKATW UNIVERSO UKAX JAN TUKUSKIR JILXATTASPA.

JAKÄWIMAN TAQI KUNAS MAYNIT MAYNIKAM MAYACHT'ASIÑAPATAKIX 11 TUQITWA QILLQT'ASIÑAMA. EXPRESIVO DETALLE UKAR SARAÑAMAWA:

1. 1. UKAXA MÄ JUK'A PACHANAKWA LURASI.

_____

_____

_____ Ukaxa
MÄ JUK'A PACHANAKWA LURASI.

2. 2. Ukaxa mä juk'a pachanakwa lurasi.

_____
_____

_____ Ukaxa
MÄ JUK'A PACHANAKWA LURASI.

3   .
_____
_____
_____   .

4   .
_____
_____
_____   .

5   .
_____
_____
_____   .

6   .
_____
_____
_____ .

7   .
_____
_____
_____ .

8   .
_____
_____
_____ .

9   .
_____
_____
_____ .

1   O   .
_____
_____
_____ .

1   1   .
_____

_____

_____ .

MÄ AMTAW UÑACHT'AYAÑ MUNASMA UK AMUYT'AÑÄNI, UKATX TAQI 11 MODALIDADES DE INTERCONEXIÓN UKANAK APSUÑAMAWA, UKANAKX JICHHAKIW QILLQT'AWAYTA UKAT MÄ 2 PANKAN ENSAYO QILLQT'AM, UKAX TAQPACH 11 ASPECTOS UKANAK JICHHAK QILLQT'ATAMAT MÄ AMTARUW TUKUYI:

_____
_____
_____
_____
_____
_____
_____
_____
_____
_____
_____
_____
_____
_____

UKA 33 ARRENDATARIOS DE INTENCIÓN UKA QILLQATA

———————————————————————————

———————————————————————————

———————————————————————————

———————————————————————————

———————————————————————————

—   —   —   —   —   —

———————————————————————————

———————————————————————————

———————————————————————————

———————————————————————————

———————————————————————————

———————————————————————————

———————————————————————————

———————————————————————————

———————————————————————————

———————————————————————————

———————————————————————————

—————————

Uka 9ri Arrendador de Intención ukaxa

0 1 2 4 8 16 32 64 ukatxa janiwa 0 1 2 3 4 5 6 7 8 9!

Universo ukax valores no lineales exponenciales ukanakat apsutawa ukatx janiw valores lineales secuenciales ukanakat irnaqkiti. Aka pantjasiw askichaña jiwasan amuyt'awisan

UKHAMARAK JAN TUKUSKIR MACHAQ POSIBILIDADES JIST'ARAÑAT SIPANX JIWASATAKI. ¿AKA SALTO CUÁNTICO LURAÑAX WAKISISPATI?

11 AMUYT'AWINAK QILLQT'AM, UKANAKX SAPA URU JAKAWIPANX LINEAL UKHAT EXPONENCIAL UKAR MAYJT'AYASMA:

1. 1. Ukaxa mä juk'a pachanakwa lurasi.

_____

_____

_____ Ukaxa

mä juk'a pachanakwa lurasi.

2. 2. Ukaxa mä juk'a pachanakwa lurasi.

_____

_____

_____ Ukaxa

mä juk'a pachanakwa lurasi.

3   .

_____

_____

_____ .

4   .

_____

_____

_____ .

5   .

_____

_____

_____ .

6   .

_____

_____

_____ .

7   .

_____

_____

_____ .

8   .

_____

_____

_____ .

9   .

_____

_____

_____ .

1   O   .

_____

_____ .

1   1   .

_____

_____

_____ .

Jichhax mä 3 pankan phuqhañ amta qillqt'añäni, ukhamat amuyt'äwinak exponencial apnaqañar adaptañataki, ukatx lineal amuyt'äw lurañanak jaytañataki:

_____

_____

Uka 33 Arrendatarios de Intención uka qillqata

_____

_____

_____

_____

_____

_____

_____

_____

_____

_____

_____

_____

_____

_____

_____

_____

_____

_____

- -

_____

_____

_____

_____

_____

_____

_____

_____

- - - - - - - - - - - - - - - - - - -

Uka 10ni Arrendador de Intención ukaxa

Taqi kunanxa, niyas uka qutucht'asiwin saphi cuadrada ukax khitinakarutï chiqpachan thaqhapkta ukawa!

Aka Tennant ukax mä chiqawja estadística uñacht'ayi, mä tama

Jaqi taypin churatax kuna amtat jakhüwi demográfico ukax taqpach jaqinakan tamapan taqpach jaqinakan saphipawa. Aka kamachix chiqpachan exponencial ukham uñt'atawa. ¡Chiqpach uñjäwi ordinal ukax mä k'ari yanapt'äw imantaski!

3 jisk'a tamanak qillqt'añamawa, kawkhantix jumax ch'amanchasta ukat ukhamarakiw taqpach tama jaqinakan taqpach jaqinakan jakhüwipa:

1. 1. Ukaxa mä juk'a pachanakwa lurasi.

_____
_____
_____ Ukaxa mä juk'a pachanakwa lurasi.

2. 2. Ukaxa mä juk'a pachanakwa lurasi.

_____
_____
_____ Ukaxa mä juk'a pachanakwa lurasi.

3. Ukaxa mä juk'a pachanakwa lurasi.

_____
_____
_____ UKAXA
MÄ JUK'A PACHANAKWA LURASI.

JICHHAXA MÄ CALCULADORA APSUÑANI UKATXA TAQPACHA TAMA TAMAPA SAPHI CUADRADO APSUÑA UKATXA JISK'A TAMA TAMA JAQINAKARU UÑT'AYATA JAQIMPI CHIKACHASIÑA. ¿KUNA CORRELACIONAS UTJI? AKA CHIQAN JAYSÄWINAKAM QILLQT'APXAM:

1. 1. UKAXA MÄ JUK'A PACHANAKWA LURASI.

_____
_____ UKAXA
MÄ JUK'A PACHANAKWA LURASI.

2. 2. UKAXA MÄ JUK'A PACHANAKWA LURASI.

_____
_____

_____ **Ukaxa**
MÄ JUK'A PACHANAKWA LURASI.

3. **Ukaxa mä juk'a pachanakwa lurasi.**

_____
_____
_____ **Ukaxa**
MÄ JUK'A PACHANAKWA LURASI.

Uka 11ni Arrendador de Intención ukaxa

¡MÄ REALIDAD PARALELA UKAR MAKHATAÑATAKIX NAYRAQATAX MÄ THAKHINJAM SARAÑAW WAKISI, UKAX JICHHA PACHANX PERPENDICULAR UKHAMAWA!

Aka Tennant ukax uñacht'ayiwa, mä dimensión paralela ukar sarañatakix nayraqatax mä dimensión perpendicular ukar chiqancht'añaw wakisi. 90 ukat 270 grados ukanakax sapa kutiw perpendicular ukhama. Jupanakax ciencia ficción ukanx universos paralelos ukanakatw arsupxi , nayax amuyta, cruce perpendicular ukan nota lurañ armasipxäna; mä chiqap pantjasiw nayax ' m sure.

3 REALIDAD PARALELAS UKANAKA QILLQT'AÑA, UKANAKXA JUMAX UÑJAÑ MUNASMA:

1. 1. Ukaxa mä juk'a pachanakwa lurasi.

_____

_____

_____ Ukaxa mä juk'a pachanakwa lurasi.

2. 2. Ukaxa mä juk'a pachanakwa lurasi.

_____

_____

_____ UKAXA
MÄ JUK'A PACHANAKWA LURASI.

3. UKAXA MÄ JUK'A PACHANAKWA LURASI.

_____

_____ UKAXA
MÄ JUK'A PACHANAKWA LURASI.

UKA 3 REALIDAD PARALELAS UKAR PURIÑATAKIKIX REALIDAD PERPENDICULAR UKAR CHIQANCHT'AÑATAKIX 3 AMTAWINAK QILLQT'AÑA:

1. 1. UKAXA MÄ JUK'A PACHANAKWA LURASI.

_____

_____ UKAXA
MÄ JUK'A PACHANAKWA LURASI.

2. 2. UKAXA MÄ JUK'A PACHANAKWA LURASI.

_____
_____
_____ UKAXA
MÄ JUK'A PACHANAKWA LURASI.

3. UKAXA MÄ JUK'A PACHANAKWA LURASI.

_____
_____
_____ UKAXA
MÄ JUK'A PACHANAKWA LURASI.

Uka 12ni Arrendador de Intención ukaxa

¡Uka cola ukax universo ukar katxaruwayi ukax amuyunaka, amuyunaka ukat amtäwin utjatapawa!

Nivel subcuántico uksanxa, taqi materia ukaxa mä qhana cola magnética ukampiwa katxaruta ukaxa jiwasana amuyunakasampi,

AMUYUNAKASAMPIWA UKATXA AMTANAKASAMPIWA LURATARAKI. ¡AKA 3 POSTULADONAKAMPIX CHIQPACH UÑACHT'AYAÑAX AMUYUNAKAMAMPIW MAYJT'AYASMA!

11 AMTANAKAT QILLQT'ASIM, UKANAKXA CHIQPACHAPUNIW UÑACHT'AYAÑ MUNASMA:

1. 1. UKAXA MÄ JUK'A PACHANAKWA LURASI.

_____

_____

_____ UKAXA MÄ JUK'A PACHANAKWA LURASI.

2. 2. UKAXA MÄ JUK'A PACHANAKWA LURASI.

_____

_____

_____ UKAXA MÄ JUK'A PACHANAKWA LURASI.

3

_____

_____

_____ .

4

_____

_____

_____ .

5

_____

_____

_____ .

6

_____

_____

_____ .

7

_____

_____

_____ .

8

_____

_____

_____ .

9   .

_____

_____ .

1   O   .

_____

_____ .

1   1   .

_____

_____

_____ .

KUNJAMSA UKA 11 UKANAK UÑACHT'AYAÑAMA UK QELLQT'AM:

1. 1. UKAXA MÄ JUK'A PACHANAKWA LURASI.

_____

_____

_____ UKAXA MÄ JUK'A PACHANAKWA LURASI.

2. 2. UKAXA MÄ JUK'A PACHANAKWA LURASI.

_____
_____
_____ UKAXA MÄ JUK'A PACHANAKWA LURASI.

3 .
_____
_____
_____ .

4 .
_____
_____
_____ .

5 .
_____
_____
_____ .

6 .

_____

_____

_____ .

7 .

_____

_____

_____ .

8 .

_____

_____

_____ .

9 .

_____

_____

_____ .

1 O .

_____

_____

_____ .

1 1 .

_____

_____

_____ .

UKA 13NI ARRENDADOR DE INTENCIÓN UKAXA

CHIQPACH MUNASIÑAX WIÑAY JAKAÑAWA,

KUNJAMATIX, CHIQPACH UÑISIÑAX JUPA PACHPA T'UNJAÑAWA!

MUNASIÑAX IMARAKI UKAT WIÑAYATAKIW UTJARAKI. UKHAMATWA JAKAÑ UÑSTAYI. UÑISIÑA UKAT YAQHA JAN WALI AMUYUNAKAX JUPANAKPACHAW T'UNJAÑAK THAQHAPXI KUNATIX TAQI KUNATIX LURAWIX TURKAKIPT'ATAWA MÄ SAPA CHIQÄKI.

11 JAQINAKAN CHIQANAKAPA UKAT JAN UKAX KUNANAKTÏ MUNAPKTA UKANAK QILLQT'AM:

1. 1. UKAXA MÄ JUK'A PACHANAKWA LURASI.

_____
_____
_____ UKAXA
MÄ JUK'A PACHANAKWA LURASI.

2. 2. UKAXA MÄ JUK'A PACHANAKWA LURASI.

_____

_____

_____ UKAXA

MÄ JUK'A PACHANAKWA LURASI.

3   .

_____

_____

_____ .

4   .

_____

_____

_____ .

5   .

_____

_____

_____ .

6   .

_____

_____

_____ .

7
                                                           .

_____

_____

_____ .

8
   .

_____

_____

_____ .

9
   .

_____

_____

_____ .

1   O   .

_____

_____

_____ .

1   1   .

_____

_____

_____ .

JICHHAX 11 JAQINAKA, CHIQANAKA UKAT JAN UKAX KUNANAKTÏ JUMAR MUNAPKTAM UKANAK QILLQT'AM:

1. 1. UKAXA MÄ JUK'A PACHANAKWA LURASI.

_____

_____

_____ UKAXA
MÄ JUK'A PACHANAKWA LURASI.

2. 2. UKAXA MÄ JUK'A PACHANAKWA LURASI.

_____

_____

_____ UKAXA
MÄ JUK'A PACHANAKWA LURASI.

3   .

_____

_____

_____   .

4   .

_____

_____

_____ .

5 .

_____

_____ .

6 .

_____

_____ .

7 .

_____

_____ .

8 .

_____

_____ .

9 .

_____

_____ .

1   O   .

_____

_____

_____ .

1   1   .

_____

_____

_____ .

Jichhajj kunsa ukajj jumatak sañ muni uka toqet mä t'aqa qellqt'am:

_____
_____
_____
_____
_____
_____
_____
_____
_____
_____
_____
_____
_____
_____

Uka 14ni Arrendador de Intención ukaxa

¡Secuencia de energía ukax naturaleza ukhamawa kunjamakitix energía ukan utjatapax uywañawa!

Mä masa energética ukan patrón ukax naturalezap uñstayi kunjamatix ukan utjatapax uywata. Jichhax uka kamachix amuyunakamar ukat chuymamar apnaqañamawa ukat kuna patrón ukanakas reformas wakisi uk amuyt'añamawa, kawkhantix sarañ munkta ukaruw puriñamataki.

Mä 5 panka qilqt'awi qillqt'aña uñacht'ayasa kuna patrones ukanakas jakäwiman apnaqapxta ukax irnaqapxi ukat jan irnaqapki ukat kawkhans jichhat uksarux uñt'ayasma juk'amp aski efectos uñstayañataki:

_____
_____
_____
_____
_____
_____
_____
_____
_____

85206

_____
_____
_____
_____
_____
_____
_____
- - - - - - - - - - - - - - - - - - - -
_____
_____
_____
_____
_____
_____
_____
_____
_____
_____
_____
_____
_____
_____
_____
_____
_____
_____

UKA 33 ARRENDATARIOS DE INTENCIÓN UKA QILLQATA

_____

_____

_____

_____

_____

_____

_____

_____

_____

_____

Uka 15ni Arrendador de Intención ukaxa

Jumatix amuyt'asmaxa, ukax utjiwa; ¡janiw akankañax wakiskiti!

Taqi kunatix lurañjamäki ukax mä pachanw utji. Uka lurañanakat waljanejj yaqha cheqanakanwa utji. ¡Akan jan utjatapatjja, janiw juk'amp cheqpachäpkiti! Jichhax cisma

KAMACHIMPIW AKA TUQITX APNAQAPXÄTA UKAT QURINÏPXÄTAWA!

Kunjams amuyt'awim apnaqasma, kuns amuyt'awix jumatakix sañ muni, ukat kunjams jakäwin juk'amp askinak amuyt'asma uka tuqit mä qilqt'äw qillqt'am:

_____
_____
_____
_____
_____
_____
_____
_____
_____
_____
_____
_____
_____
_____
_____
_____
_____
_____
_____

91206

_____

_____

_____

_____

_____

_____

_____

_____

_____

_____

_____

_____

_____

_____

_____

_____

- - - - - - - - - - - - - - - - - - -

_____

_____

_____

_____

_____

_____

_____

_____

_____

_____

_____

_____

_____

_____

UKA 16NI ARRENDADOR DE INTENCIÓN UKAXA

¡FRECUENCIA UKAX INTERVALO DE CREACIÓN

UKHAMAWA KUNJAMAKITIX TEMPO UKAX RITMO UKAWA!

FRECUENCIA UKAX MÄ ENERGÉTICO UKAX QAWQHA KUTIS UÑSTI UKAKIW SAÑ MUNI, KUNATIX RITMO UKAX TAQPACH UKAMP CHIKT'ATÄÑAPATAKIW AMTAYI. FRECUENCIA UKAX ESENCIA DE OCURRENCIA UKAWA KUNATIX TEMPO UKAX RITMO DE SUS INTERACCIONES UKAWA. TEMPO UKAX ASPECTOS INTERACCIONES COMO FRECUENCIA UKAX ASPECTOS IDENTIDAD UKARUW UÑT'AYI. FRECUENCIA UKAX ELÉCTRICA UKHAMAWA KUNJAMATIX TEMPO UKAX MAGNÉTICO UKHAMAWA. PANPACHANIW 2 MAYJ MAYJ AMUYUNAKAX PACHPA YÄNAKAN UTJI. AMUYT'AÑATAKI AKAX ADN UKAN NUCLEÓTIDOS UKAN FRECUENCIA UKAT TEMPO UKAN UÑACHT'AYATAWA:

ADENINA 545,6HZ 127,875 BPM UKHAWA

95206

TIMINA 543,4HZ 127,359375 BPM

GUANINA 550HZ 128,90625 BPM UKHAMAWA

CITOSINA 537,8HZ 126,04875 BPM

AKA FRECUENCIAS UKANAKAX VELOCIDAD DE TEMPO APROPIADA UKANX KUNJAMTIX NAYRAQAT ARSUWAYKTAN UKHAMARJAMAX JACH'A EFECTOW INTENCIÓN IRNAQAWINX APNAQASISPA.

UKHAMARAKI, CENTRO GALÁCTICO UKAN FRECUENCIA UKAT TEMPO UKAX VÍA LÁCTEA UKATAKIX UÑJATARAKIWA:

154.15HZ 144BPM UKHAKAMA.

AKA TUQIRU MUSICA JAQUKIPAÑATAKIXA SAÑÄNI, 440HZ UKJATXA 154.15HZ UKJARUWA MAYJT'AYAÑA UKATXA 144/120 JAN UKAXA 1.2X UKJA MULTIPLICADOR UKAMPIWA JANK'AKI LURAÑA UKATXA

MUSICAMAXA CÓSMICO UKHAMAWA. UKAX AMTANAKATAKIX UKHAMARAKIW KUNATIX JUPANAKAX PACHPA IRNAQAPXI.

YAQHA JACH'A FRECUENCIAS UKAT TEMPOS UKANAKAX AKHAMAWA:

URAQI

SINÓDICO URUX 194.18HZ 91 BPM UKHAWA

SINDERIC URUX 194,71HZ 91,3 BPM UKHAWA

URAQPACHAN MARAPAX 136.10HZ 127.6 BPM

PLATÓN MARAX 172.06HZ 80,6 BPM UKHAWA

PHAXSI

SÍNODO UKAX MÄ JUK'A PACHANAKANWA. PHAXSIX 210,42HZ 98,6 BPM UKHAWA

Uka 33 Arrendatarios de Intención uka qillqata

Sider Phaxsi 227,43Hz 106,6 BPM UKHAKAMA

Culminación 187,61Hz 89,7 BPM UKHAWA

Metónico 229,22Hz 107,4 BPM UKHAWA

Saros ukax 241,56Hz 113,2 BPM UKHAWA

Apsidis ukax 246,04Hz 115,3 BPM UKHAWA

Phaxsi Nudo 234.16Hz 109,8 BPM UKHAWA

Planetanaka

Inti jalsu tuqinxa 126,22Hz 118,3 BPM UKHAWA

Mercurio ukax 141,27Hz 132,4 BPM UKHAWA

Venus ukax 221,23Hz 103,7 BPM UKHAWA

Marte phaxsinx 144,72Hz 135,6 bpm ukhawa

Júpiter ukax 183,58Hz 172,1 bpm ukhawa

Saturno ukax 174,85Hz 138,6 bpm ukhawa

Urano ukaxa 207,36Hz 97,2 bpm ukhawa

Neptuno 211,44Hz 99,1 bpm ukhawa

Plutón 140,64Hz 65,9 bpm ukhawa

11 kunanaksa uka yatiñanak apnaqasma uk qillqt'asim:

1. 1. Ukaxa mä juk'a pachanakwa lurasi.

_____

_____

_____ UKAXA
MÄ JUK'A PACHANAKWA LURASI.

2. 2. UKAXA MÄ JUK'A PACHANAKWA
LURASI.

_____
_____
_____ UKAXA
MÄ JUK'A PACHANAKWA LURASI.

3 .
_____
_____
_____ .

4 .
_____
_____
_____ .

5 .
_____
_____
_____ .

6   .

_____

_____

_____ .

7   .

_____

_____

_____ .

8   .

_____

_____

_____ .

9   .

_____

_____

_____ .

1   O   .

_____

_____

_____ .

1   1   .

_____

_____

_____ .

Uka 17ni Arrendador de Intención ukaxa

¡Chiqaw qhispiyapxätam, chiqa yatichäwix chuym ust'ayaraktamwa!

Mä chiqa yatichäwit sipansa janiw kunas juk'amp chuym ust'ayirïkiti. Uka kasta chiqa yatichäwix kawkhans sapa maynix jilxattasna uk yatiyarakistu. Ukax chuym ch'allxtayiriwa

103206

KUNATIX JIWASANAKAN MÄ ASPECTO
UÑACHT'AYI, UKAX JIWASANAKAN JAN
UÑKATASIÑA UKAT IMANTAÑAW
JUK'AMP ASKIXA. ¡UKAMPI
SAYKATAÑASA UKAT SUM
MAYJT'AYAÑASA, KUNJAMSA CHEQA
YATICHÄWIJJ QHESPIYISTANI!

URAQ ALLSUÑAMAWA UKAT 11 K'ARINAK SAPA KUTI YATIYAÑAMAWA:

1. 1. UKAXA MÄ JUK'A PACHANAKWA LURASI.

_____
_____
_____ UKAXA
MÄ JUK'A PACHANAKWA LURASI.

2. 2. UKAXA MÄ JUK'A PACHANAKWA LURASI.

_____
_____
_____ UKAXA
MÄ JUK'A PACHANAKWA LURASI.

3   .
_____

_____

_____ .

4   .

_____

_____ .

5   .

_____

_____ .

6   .

_____

_____ .

7   .

_____

_____ .

8   .

_____

_____ .

9 .

_____
_____
_____ .

1   O .

_____
_____
_____ .

1   1 .

_____
_____
_____ .

JUTÏRINJJA, KUNJAMSA JAN
K'ARISIÑAMÄKI UKA TOQET MÄ T'AQA
QELLQT'AM:

_____
_____
- -
_____
- -
_____ UKAX

MÄ JUK'A PACHANAKANWA.

Uka 18ni Arrendador de Intención ukaxa

¡Energía ukax alterna, dirección ukax dicta!

Divin principios ukanakan corriente alternas ukanakax jiwasan ukhamarak amtanakasan mayacht'asiwip uñt'ayi. Corriente directa ukax jiwasan trayectoria jakäwisan vector ukar uñt'ayi. AC ukax norma ukawa, ukax jiwasanakan

UÑT'AYASIÑASAWA. NICOLA TESLA KULLAKAJJ KUNJAMTÏ NAYRAJJ SISKÄNA UKHAMARJAMAW SÄNA. AC UKAX JIWASAN CHIQPACH SARNAQAWISANX CHACHA UKHAMARAK WARMIN ASPECTOS UKANAKANW UÑSTI.

SAPA URU JAKAWIMANXA 11 UÑACHT'AWINAKA CORRIENTE ALTERNA UKANAKATA QILLQT'AÑA:

1. 1. UKAXA MÄ JUK'A PACHANAKWA LURASI.

_____
_____
_____ UKAXA
MÄ JUK'A PACHANAKWA LURASI.

2. 2. UKAXA MÄ JUK'A PACHANAKWA LURASI.

_____
_____
_____ UKAXA
MÄ JUK'A PACHANAKWA LURASI.

3   .

_____

_____

_____ .

4   .

_____

_____

_____ .

5   .

_____

_____

_____ .

6   .

_____

_____

_____ .

7   .

_____

_____

_____ .

8   .

_____

_____

_____ .

9 .

_____

_____

_____ .

1 O .

_____

_____

_____ .

1 1 .

_____

_____

_____ .

SAPA URU JAKAWIMANXA 11 UÑACHT'AWINAKA CORRIENTE DIRECTA UKANAKA QILLQT'AÑA:

1. 1. UKAXA MÄ JUK'A PACHANAKWA LURASI.

_____

_____

_____ UKAXA
MÄ JUK'A PACHANAKWA LURASI.

2. 2. UKAXA MÄ JUK'A PACHANAKWA
LURASI.

_____
_____

_____ UKAXA
MÄ JUK'A PACHANAKWA LURASI.

3   .
_____
_____
_____   .

4   .
_____
_____
_____   .

5   .
_____
_____
_____   .

6   .
_____
_____
_____   .

7   .
_____
_____
_____   .

8   .
_____
_____
_____   .

9   .
_____
_____
_____   .

1   O   .
_____
_____
_____   .

1   1   .
_____

_____

_____ .

UKA 19NI ARRENDADOR DE INTENCIÓN UKAXA

¡QHANAX PACHAN SARNAQAÑAWA UKAT QHANAX ESPACIO UKAT PACHAT SIPAN JUK'AMPIWA!

114206

¿Kunatsa qhanan jank'akïtapajj tiempo mayjt'ayi? Kunattix qhanax naturalezaparjamax tiemporuw saraski ukat ukatwa tiempo uñstayaraki. Jumax janiw tiemponïktati, jumaw uñstaytaxa. ¡Mä amtar juk'amp ch'am churäta ukhajja, juk'amp tiempow uka amtar churäta!

11 chiqanaka ukat localidades ukanakar visitt'añ munasma ukat experiencianak uñt'ayañ munasma uk qillqt'am:

1. 1. Ukaxa mä juk'a pachanakwa lurasi.

_____
_____
_____ Ukaxa mä juk'a pachanakwa lurasi.

2. 2. Ukaxa mä juk'a pachanakwa lurasi.

_____

_____

_____ **UKAXA**

MÄ JUK'A PACHANAKWA LURASI.

3 .

_____

_____

_____ .

4 .

_____

_____

_____ .

5 .

_____

_____

_____ .

6 .

_____

_____

_____ .

7 .

_____

_____

_____ .

8   .

_____

_____

_____ .

9   .

_____

_____

_____ .

1   O   .

_____

_____

_____ .

1   1   .

_____

_____

_____ .

Uka 20ni Arrendador de Intención ukaxa

Mä puntada tiemponx 9!

Aka clásico figura de habla ukax convencional significado ukat sipanx juk'ampiwa; mä jamasat amuyt'awiw utji. 9 ukaxa jakhu tukuyata ukatxa ch'ukuña

CH'UKUÑAXA PACHPAKIWA KUNJAMATIXA TEORÍA DE CUERDAS UKANXA MÄ VECTOR 1 DIMENSIONAL KUNJAMATIXA CADENA UKAXA; TEJER DE VECTORES 1 DIMENSIONALES UKAX TUKUYAÑKAMAW PURIYATA (9) UKAX KUNJAMS AMTANAKASAX TEJIDOS UKHAMAT PALPABLEMENTE JIWASAN CHIQPACH UÑACHT'AYAÑATAKI. JAKAÑ PANQARA JAN UKAX KUNA PATRÓN UKAX SECUENCIA DE FIBONACCI JAN UKAX PHI ϕ ukarjam apsutawa . UKATXA, MÄ REJILLA DE LOCALIDADES UKAMPIW UKA PATRÓN UKAN AMTANAKAM ANCLAÑAMA. UKATX CENTRO GRAVITACIONAL JAN UKAX PUNTO CERO UKAX MUYUNTAÑAPAWA, UKHAMAT, MÄ VECTOR DIMENSIONAL DE PENSAMIENTO UKAR JIWASAN 3D UKAT 4D EVENTO ESPACIO JAN UKAX LÍNEAS DE TIEMPO UKAN ANATT'AÑAR CH'UKUÑA. UKHAMATWA AMUYUMAMPIX CHIQPACH UÑSTAWIPARUX MAYJT'AYASMA.

UKHAMARAKIW TECNOLOGÍAS DE ONDA TENSOR UKAT ONDA ESCALAR UKANAKAMP WALI SUM IRNAQT'I, BOBINAS RODIN UKANAKAR UÑTASITA. ¡JANIW ARMAÑAKITI N52 ESFERA MAGNÉTICA UKAX NÚCLEO UKHAMAWA BOBINA RODIN UKATAKI!

20 ARRENDADOR UKAN LURAWINAKAP UÑACHT'AYAÑ YATIQAÑAMAWA. JICHHAX MÄ 3 PANKAN QILQT'ÄW QILLQT'AM, KUNJAMS AKA LURAÑAX UK LURAÑAMA:

_____

_____

_____

_____

UKAX MÄ JUK'A PACHANAKANWA.

Uka 21ni Arrendador de Intención ukaxa

Uka tasa de giro ukaxa mä fricción ukata uñakipatawa.

Taqi kunatix luratanakanx mä maníaco top ukham muyuntapxi. Amukt'añax taqi yänakan muyuñap taypin jikxataski uka equilibrio uñstayatawa. Uka eje de giro ukax mä juk'a

MAYJT'AYATÄCHI UKHAXA, TAQPACH RESULTADOX MAYJT'AYATAWA. UKAJJ JUMATAKIS TAQE KUNARUS MÄ KIKPAKIW APNAQASI. TAQI CHAKRANAKAX IS SPIN POINTS UKAX CUERPONAKAMAN VECTOR. CIENCIA TUQINX TAQI ELEMENTOS ATÓMICOS UKANAKAX JUPANAKAN MUYUÑAPARAKIWA. ¡UKHAMARAKIW PLANETASASA, SISTEMA SOLARSASA, GALAXIASASA UKAT TAQE KUNASA! AXIOMAS DE ESPÍN UKAR MAYJT'AYAÑAX TAQPACH CHIQPACH LURAWINAK MAYJT'AYI KUNATIX TAQI YÄNAKAN EQUILIBRIO UKAR MAYJT'AYARAKI. TAQI KUNAS TAQI YAQHA LURAÑANAKAMPI CHIKT'ATAWA. MÄ CH'AMAN CAMPO UKAN TURKAKIPÄWIP MAYJT'AYAÑAX TAQPACH CHIQPACH MAYJT'AYI. UKAX JUMA PACHPAN JAN UKAX ANQAN LURASISPAWA. UKAX PACHPAKIW, MAYJT'AWIX MÄ EXPRESIÓN DE ENERGÍA UKHAT YAQHA EXPRESIÓN DE ENERGÍA UKAR MAYJT'AYAÑAX MÄ CONSTANTE UNIVERSAL UKHAMARAK

CHIQPACH SAPA URU JAKAWIRUW PURI. ¡MAYJT'AWINAKAR ADAPTABILIDAD UKAX MÄ REQUISITO UKHAMAWA JAYA PACHA JAKAÑATAKI!

3 ÁREAS DE TRABAJO INTERNO UKANAKA QILLQT'AÑA KAWKHANTIXA EJE DE GIRO UKANAKA MAYJT'AYAÑA. EXPRESIÓN UKAT JUK'AMP QHANAÑCHT'AÑAMAWA:

1. 1. UKAXA MÄ JUK'A PACHANAKWA LURASI.

_____
_____
_____
_____

.

2. 2. UKAXA MÄ JUK'A PACHANAKWA LURASI.

_____
_____
_____

.

3. UKAXA MÄ JUK'A PACHANAKWA LURASI.

.

Uka 22ni Arrendador de Intención ukaxa

¡Amuyunakax chiqäskapuniwa, ukampis janiw jichhax utjkiti!

Kunatï amuyt'añjamäki ukajj cheqäskapuniwa, ukampis kuntï amuyt'kta ukajj janiw jichha tiempon cheqäki ukarjam apnaqatäkaspati. Yatiñ kankañax

127206

MAYJ MAYJÄÑAPATAKIW WAKISI. YATIÑ KANKAÑAX CHUYMATPACH IST'ASITAPATW SAPHINTATA, KUNJAMATIX AMUYUNAKAX AMUYUN IST'ASITAPAT MISTU. AKA CHIQAN UKAT JICHHAX UÑT'AÑAMAWA UKAT AMUYT'AWIMPIW THAKHIM AJLLIT JUTÏR PACHAR IRPAÑAMA. KUNJAMAKITIX LUCIDEZ UKAT LOCURA UKANAKAN TIGHTROPE UKAR SARNAQAÑAX, INAS AKA AMUYT'ÄW ACELERADOR AKA UKAN SAPA KUTI MAYJT'IR UÑSTAWIP KATJAPXCHISMA. CHIQAPUNI. KUNATIX CHIQÄKI UKAX SAPA MAYNIRUW UÑTASI UKAMPIRUS KUNATIX CHIQPACH UÑT'ATÄKI UKAX TAQINITAKIKIWA. IMAGINACIÓN UKAX MÄ HERRAMIENTA UKHAMAW ÉTER UKAR ARTESANÍA UKAR UÑT'AYAÑATAKI, UKAX PATRÓN DE TEJIDO DE SUS PENSAMIENTOS UKAN TELAR DE CREACIÓN UKAR UÑTATAWA. CHIQPACHANSA, KUNJAMSA UÑACHT'AYASIÑAX IRNAQT'I.

11 KUNANAKTÏ CHIQPACHAN UTJKI
UKANAK QILLQT'AM JANIW UKANAKXA
MÄ CIMIENTO UKHAM APNAQKASMA
AMTANAKAR PURIYAÑATAKI, UKA
AMTANAKAX JANIW JICHHAKAMAX
UTJKITI:

1. 1. UKAXA MÄ JUK'A PACHANAKWA
LURASI.

_____
_____
_____ UKAXA
MÄ JUK'A PACHANAKWA LURASI.

2. 2. UKAXA MÄ JUK'A PACHANAKWA
LURASI.

_____

_____

_____ Ukaxa
MÄ JUK'A PACHANAKWA LURASI.

3 .

_____

_____

_____ .

4 .

_____

_____

_____ .

5 .

_____

_____

_____ .

6 .

_____

_____

_____ .

7 .

_____

8   .

9   .

1   O   .

1   1   .

KUNJAMS AMTÄWIT CHIQPACH PUENTE LURAÑAX UKXAT MÄ JISK'A QILQT'ÄW QILLQT'AM:

_____
_____
_____
_____
_____
_____
_____
_____
_____
_____
_____
_____
_____
_____
_____
_____

Uka 23ni Arrendador de Intención ukaxa

Karma ukax dharma ukan ajlliwipawa kunjamatix bhodi ukax dharma thakhi ajlliski ukhama.

Karma ukax lurawi ukat reacción ukham amuyatawa. Mä suma lurawix mä (+-+) circuito kamachiwa kunjamatix qallta

Suma lurawix mä + ukat costo en tiempo y o energía y o recursos ukax - ukat ukax bendición + jumar kutt'aniñaruw puriyi. Mä jan wali lurawix contrario (-+-) circuito ukarux kamachiwa. Jan wali lurawi - ukaxa arktatawa mä ratuki kusisiña jan ukaxa jan wali jikxatata ganancia + ukatxa ukaxa manu apthapiña -.

Dharma ukax karma ukx amti kunjamatix dharma ukax chiqpachanx ajlliwinakawa. ¡Ajllawinakasax karmasan lurawipa ukhamarak reacción ukar uñt'ayi!

Bhodi ukax mä conjunto de elecciones ukaw mayacht'asis paqueteado ukhamawa, kunjams qullqi instrumentunakax contratos ukanakax mayacht'asis paqueteados ukar uñtasita. Bhodi ukax mä conjunto de elecciones dharmicas ukawa, ukax turkakipt'asax jiwasan

RESULTADOS UKAT RESULTADOS UKANAKAS AMTI, JIWASAN KARMA.

MÄ 3 PANKAN QILQT'ÄW QILLQT'AM, JUMA PACHPAW QHANAÑCHT'ASMA KUNA LURAWINAKAS KARMA, DHARMA UKAT BHODI UKANAKAX SAPA URU JAKAWIMAN UTJI:

_____
_____
_____
_____
_____
_____
_____
_____
_____
_____
_____

_____

_____

_____

_____

_____

_____

_____

_____

—   —

_____

_____

_____

_____

_____

_____

_____

_____

_____

_____

_____

_____

_____

_____

_____

UKA 33 ARRENDATARIOS DE INTENCIÓN UKA QILLQATA

- - - - - - - - - - - - - - - - - - -

Uka 24ni Arrendador de Intención ukaxa

Taqi kunas jakawiwa, taqi jakawixa celulanakampi luratawa. !

Biología ukan teoría celular ukat matemáticas ukan teoría de conjunto ukanakamp mayachthapiña ukat multiverso ukar mä jach'a jakäw cósmico

UKHAM UÑAKIPAÑA. UKHAMAW UKA CHIQAN UTJAÑAX KUNJAMASA. JIWASAN PLANETASAX UKHAMAWA, UKAMPIS MÄ CÉLULA UKHAMAWA SER CÓSMICO UKANX KUNJAMATIX JIWASAX UKHAMAKIPANS MÄ CÉLULA JIWASAN PLANETASAN UKHAMARAK CÉLULAS UKANAKAX UTJARAKIWA, UKANAKAX COMPOSICIÓN UKARUX LURAPXI; KUNJAMATIX JAN TUKUSKIR (∞ +1) UKAT JUK'AMPIRUW PURI. JAN TUKUSKIR YÄNAKAX 1 JAN TUKUSKIR JAKÄWJAM AMUYT'AÑÄNI UKAT UKA JAKÄWIN JAN TUKUSKIR TAMANAKAT SIPANS JUK'AMPÏTAP AMUYT'AÑÄNI; TAQI KUNAS CH'AMAN VALORANX PACHPAKÏSKIWA, UKAMPIRUS CH'AMANCHAÑ SECUENCIA UKAT SINTAXIS UKANX MAYJ MAYJAWA. UKHAMAW JAKAÑAX, JAN TUKUSKIR UKAT JACH'A KANKAÑAWA. JAKAWIXA ∞ +1 UKATXA ∞ 1.

KUNATSA TAQE LURATANAKAJJ MÄ JACH'A JAKAÑÄPJJE UK 11 RAZONANAK QELLQT'AM:

1. 1. UKAXA MÄ JUK'A PACHANAKWA LURASI.

_____
_____
_____ UKAXA MÄ JUK'A PACHANAKWA LURASI.

2. 2. UKAXA MÄ JUK'A PACHANAKWA LURASI.

_____
_____
_____ UKAXA MÄ JUK'A PACHANAKWA LURASI.

3 .

_____

_____

_____ .

4 .

_____

_____

_____ .

5 .

_____

_____

_____ .

6 .

_____

_____

_____ .

7 .

_____

_____

_____ .

8 .

_____

_____
_____ .

9   .

_____
_____ .

1   O   .

_____
_____ .

1   1   .

_____
_____ .

MÄ JISK'A QILLQAT QILLQT'AM, JUMA
PACHPAW JAYSÄWINAKAM
QHANAÑCHT'ASMA:

_____
_____
_____
_____

_____

_____

_____

_____

_____

_____

_____

_____

_____

_____

_____

_____

Uka 25ni Arrendador de Intención ukaxa

Kunjamtï patat uñacht'ayaski ukhama, ukhamarakiw akham aynacharu; kunjamtix akham amparamp lurapki ukhama, ukhamarakiw pata tuqina: jichha chiqpach

JAKAWISAX JICHHAX PATAT AYNACHARU UKHAMARAK AYNACHARU SELLADO UKHAMAWA!

Ukax mecánica cuántica ukat física de partículas ukanakan payïr cuantización ukan kamachinakapatw arsu. Laico jaqinakan arunakapanxa, cósmico patat muyuntat ukhamarak sub-cuántico ukan muyuntatapax maynit maynikamaw kikipa ukampis escalapanx mayj mayjawa. Mä átomo ukax sapa uru uñjatasat wali jayankiwa, kunjamtï warawaranakax uñjapki ukhama, ukampis escala tuqitxa mayj mayjawa. Ukax patat aynacharu muyuntawipawa, ukax aka existencia holográfica ukaruw uñacht'ayi, ukax chiqpach satawa. Existencia ukax sapa kutiw mä patat aynacharu taypin utji ukat kawkhantix

JIKXATASKTA UKAX ENERGÉTICO GIRO UKAMPIW UÑT'AYASI MEDIO AMBIENTE UKAR UÑTASIT JICHHA PACHAN JICHHA PACHANA. SAPA AJLLIWIX JICHHAX LURAPKTA UKAX TAQPACH IMPACTO DE EFECTO MARIPOSA UKAX APT'ATAWA KUNATIX UKAX TAQPACH CH'AMASAWA JIWASAN JUTÏR PACHAS AJLLIÑASATAKI. KUNA JUTÏRINSA AJLLISMA KUNJAMATIX LÍNEA DE TIEMPO PERSONAL UKAX UTJKI UKAX AJLLIWINAKAMAMPI, AMUYUNAKAMPI UKAT LURAWINAKAMAMPIW UÑT'AYASI. MAYJT'AWIX JUMANAKAN JAKAWIMAN QALLTAWAYI UKATX MUNAT CHIQPACH UÑACHT'AYAÑATAKIX LURAÑAW WAKISI.

MÄ 3 PANKAN QILQT'ÄW QILLQT'AM, KUNJAMS CORRESPONDENCIA DE ARRIBA Y BAJO UKAX JAKÄWIMARUX JAN WALT'AYI UKAT KUNJAMS AMUYT'AWINAKAMANX MÄ ROL UÑACHT'AYI:

_____

_____

_____

147206

_____

_____

___

Uka 26ni Arrendador de Intención ukaxa

Tiempojj janiw paskiti, mä loto sat phajjsin qhant'irjamaw jist'arasi.

4ri dimensional temporal evento espacio jan ukax tiempo kunjamtix jiwasax sisktan ukax janiw luraskiti. Pachax 3d yänak mä objetivo de movimiento aka ukar uñstayañawa. evento ukan chiqapa. Eventos ukax orgánico ukhamaw uñstaski. Aka despliegue ukax sapa mayni(naka) ukat jan ukax objeto(s) energético spin ukampiw amtata. Mä loto panqarañax mä secuencia de eventos wali marco 3d ukawa. Uka pachpa kamachiwa, kunatsa peliculanakax uka jan walt'äwinakax nayraqatasan pasaski sasin amuyt'ayaspa. Taqi kunatix mä peliculax utjki ukax mä secuencia de fotos ukanakaw fragmentos de eventos ukanakat apsutäna, ukax mä trama de movimiento uñacht'ayi, ukax mä yatiyaw qhanstayi. Películas ukax mä ilusión ukhamawa ukat sarnaqäwin moral ukax kuna

SARNAQÄW YATIYAÑ AMTAWA. TOME UKAX PACHPA ILUSIÓN UKAR UÑTASITAW IRNAQÄNA. RELOJAMAN TIEMPOJJ JANIW UKHAMÄKITI. CICLONAKAR WAKICHT'AT SARÄWINAKAJJA, MÄ QHAWQHA TIEMPON MAYAMP MAYAMP LURASI, UKAJJ CHEQAPUNIW KUNTÏ TIEMPO SKTAN UKAJJ CHEQPACH CHEQÄTAPA, CHEQAS! UKA DESPLIEGUE DE POSTULADOS 3D UKAX MÄ VECTOR DE EVENTOS TEMPORAL 4D UKAN MÄ SECUENCIA DE POSIBILIDADES 5D UKANX KUNJAMS PACHAX MULTIVERSO UKAN UÑACHT'AYASI UKAWA.

11 KUNANAKTÏ JAKÄWIMAN JAN CH'AMACHASISAJJ JUMATAK UÑSTAWAYKI UKANAK QELLQT'AM:

1. 1. UKAXA MÄ JUK'A PACHANAKWA LURASI.

_____

_____

_____ UKAXA
MÄ JUK'A PACHANAKWA LURASI.

2. 2. UKAXA MÄ JUK'A PACHANAKWA LURASI.

_____

_____

_____ UKAXA
MÄ JUK'A PACHANAKWA LURASI.

3 .
_____
_____ .

4 .
_____
_____ .

5 .
_____
_____ .

6

_____

_____

_____.

.

7

_____

_____

_____.

.

8

_____

_____

_____.

.

9

_____

_____

_____.

.

1   0   .

_____

_____

_____.

1   1   .

_____

_____

_____ .

MÄ JISK'A QILLQAT QILLQT'AM, KUNJAMS UKA UÑACHT'AWINAKAX JUMATAKIX JAN CH'AM TUKUS UÑSTAWAYI UK QHANAÑCHT'ASA:

_____
_____
_____
_____
_____
_____
_____
_____
_____
_____
_____
_____
_____
_____
_____
_____
_____
_____
_____

Uka 27ni Arrendador de Intención ukaxa

Aka Uraqix pampawa ukat pachpa pachanx mä globo ukhamawa.

Plano uraqit teorías ukanakax walja jisk'achawinak uñacht'ayi, ukampis, mä jach'a chiqaw utji. Chiqansa, kunjamarak aka Uraqix mä pachan pampa ukhamarak mä globo ukhamäspa ukat kunatsa

UKHAM MUSPHARKAÑ AMTAR PURIRISTXA. SUMAW SAPXSMA; 3 DIMENSIONES UKANX URAQIX CHIQPACHANS MÄ GLOBO UKHAMAWA UKATX 2 DIMENSIONES UKANX CHIQPACHANS URAQIX CH'USAWJAWA. JICHHAX 2 2D RENDERINGS UKA FRACTAL UKAX URAQIN MUYUÑAP UÑSTAYI. MÄ FRACTAL ALAXPACHATAKI UKAT MAYNIX URAQITAKI; PATAT AYNACHARU. JUPANAKAX MAYJ MAYJ CHIQANAKARUW MUYUNTAPXI. CHIQANSA PANPACHANIW SIMETRÍA DE IMÁGENES ESPEJOS UKANX PACHPA GIRO UKANIPXI MAYNIT MAYNIKAMA. ¿UKAJJ MÄ CH'USA ORAQEMPI JAN UKAJJ MÄ GLOBOMPI ¿KUNSA LURASI? JICHHAX YATIYAPXÄMA, TAQI KUNA. JIWASAX CHIKA TAYPINKTANWA UKAT SMACK DAB UKAX CHIKA TAYPINKIWA AKA 2 FRACTALES GIRATORIOS UKAT HOLOGRAMA DE REALIDAD 3D UKAX RENDERIZACIÓN UKAWA 2 ESPEJOS DE IMAGEN SPINS DE ARRIBA Y

ABAJO UKANAKAN; AKAX PAYÏR CUANTIZACIÓN UKAWA, UKAX WALI SUMAWA. JISA PANPACHANIW PLANO UKAT MÄ GLOBO CHIQPACHANSA. ¡ AKA AMUYT'AWIX JUK'AMP NAYRAR SARTAYAÑÄNI ! JICHHAX UKA FRACTA DISCOS UKANAKAN YAQHA CONJUNTOS UKANAKAX MAYNIT MAYNIKAM PATAT UKAT MAYNIT MAYNIKAM MANQHAN UÑACHT'AYAÑA. 4 DISCOS UKANAKAXA SAPA MAYNIRU MUYUÑAPAMPIXA 4 DIMENSIONES UKANAKAWA JIWASANA CHIQAPARU LURARAKI, PACHA UKHAMARAKI CHIQA. KUNAWSATIX JIWASAN PACHPA CH'AXWAÑAR YAPXATKTAN UKHAX 5 DIMENSIÓN DE POSIBILIDAD UKAW LURAPXTA KUNATIX JICHHAX AJLLIWINAKASAX JUTÏR POSIBILIDADES UKANAKARUW AMTAPXI UKAX NAYRAQATASANW UÑSTASPA. INTENCIONES UKAR MONTAJE EN EQUILIBRIO ENTRE LOS DISCOS FRACTALES DE NUESTRA REALIDAD UKAX JIWASAN PACHPA ENERGÉTICO GIRO UKAR

MAYJT'AYASA, UKAX KUNJAMS JUMA
PACHPAW JUTÏR PACHAM DICTASMA
PACHPA LÍNEA DE TIEMPO UKANXA.
UKHAMARAKI AMUYT'AÑA
KUNAPACHATIXA JIST'ARAÑA
PORTALES INTERPLANETARIOS
UKHAMARAKI PUNKUNAKA GIRO DE
TU MUNDO DESTINO KUNATIXA
PORTAL UKAXA ALINEADO UKHAMAWA
RELOJ TUQIRU JAN UKAXA CONTRA
RELOJ TUQIRU UKHAMATA
SEGURIDAD TRANSITO MUNDOS
UKANAKA TAYPINA. ¡JAN UKHAM
LURASMA UKHAJJA, AKAPACHANAKAN
CH'USA CHEQANWA UÑJASISMA!

MÄ 5 PANKAN QILQT'ÄW QILLQT'AM,
KUNJAMS KUNAYMAN NIVELES DE
REALIDAD UKANAKAX KUNAYMAN
DIMENSIONES UKANX SAPA URU
JAKAWIMANX MAYACHT'ASIPXI UKXAT
JUMA PACHPAW AMUYUNAKAM
UÑT'AYASMA:

Uka 28ni Arrendador de Intención ukaxa

Con ukax utjañapawa ukhamarak ch'usakiwa kunjamakitix esencia ukax junt'u ukhamarak thaya ukhamawa!

Principio de con ukax q'uma presencia ukat ch'usat chiqawj apnaqi. Higgs Boson ukax chiqpachanx pachpakiw con ukax

MÄ CH'AMA APT'IR PARTÍCULA UKAWA, UKAX CH'USAT CHIQANW JIKXATASI, MÄ VALOR DE CAMPO O. CON UKAX MAGNETISMO UKAT MUNASIÑ UKA PRINCIPIO UKHAMARAKIWA. UÑJAPXTAWA CHUYMAX 100 KUTIW P'IQIT SIPAN JUK'AMP CH'AMANI UKAT CHIKAT P'IQIT SIPANS JACH'ARAKIWA. CHUYMAX CUERPONAKAN MAGNETISMO UÑSTAYI. ESENCIA JAN UKAX ENERGÍA UKAX TEMPERATURA UKARJAM UÑT'ATAWA, THAYAX CH'AM UÑSTAYI KUNATIX JUNT'U PACHAX CH'AM CH'IQIYARAKI. UKA PATRÓN DE TEMPERATURA UKAXA FUNCIONES ELÉCTRICAS UKHAMARAKI INFORMACIÓN DE ESENCIA UKANAKA UÑT'AYI. P'IQIX CHUYMAT SIPANX PÄ KUTIW JACH'A UKAT 100 KUTIW CHUYMAR MISTU. P'IQIN AMUYUNAKAPAS CHUYMATPACH CHUYMA CH'ALLXTATANAKAX BIOLOGÍAS UKANX INVERSAMENTE PROPORCIONADAS UKHAMAWA. AMTANAKAS UÑACHT'AYAÑATAKIX

PANPACHANIW MAYACHT'ASIS APNAQAÑASA. ¡CON UKAT ESENCIA UKANAKAX MAYNIT MAYNIKAM MAYACHT'ASIS APNAQAÑAW WAKISI, AMTANAKAM TAQPACH UÑACHT'AYAÑATAKI!

11 KUNJAMSA PRESIÓN UKAT TEMPERATURA UKANAKAX SAPA URU JAKAWIMANX WALI WAKISKIR YANAPT'I UK QILLQT'ASIM:

1. 1. Ukaxa mä juk'a pachanakwa lurasi.

_____

_____

_____ Ukaxa mä juk'a pachanakwa lurasi.

2. 2. Ukaxa mä juk'a pachanakwa lurasi.

166206

_____

_____

_____ Ukaxa

MÄ JUK'A PACHANAKWA LURASI.

3   .

_____

_____

_____ .

4   .

_____

_____

_____ .

5   .

_____

_____

_____ .

6   .

_____

_____

_____ .

7   .

_____

167206

UKA 33 ARRENDATARIOS DE INTENCIÓN UKA QILLQATA

_____

_____ .

8   .

_____

_____

_____ .

9   .

_____

_____

_____ .

1   O   .

_____

_____

_____ .

1   1   .

_____

_____

_____ .

KUNJAMS UKA YATIÑANAK APNAQAÑ AMTASKTA UKA TUQIT MÄ JISK'A QILLQAT QILLQT'AM:

UKA 33 ARRENDATARIOS DE INTENCIÓN UKA QILLQATA

_____

_____

_____

_____

_____

_____

_____

_____

_____

_____

_____

_____

_____

_____

_____

_____

___

Uka 29ni Arrendador de Intención ukaxa

¡Juma sapakiw jark'ätamxa!

Thakhiman kuna jark'añas utjchi ukhajja, nayraqatajj juma manqhan utjpachänwa. Ukhamätapatxa wali askiw manqhan uñakipañax jaysawinakamataki ukhamarak askichaña ukhamarak q'umachaña kuna manqhan

JARK'AWINAKAS MANQHAN UTJKI UKANAK JAN UÑKATASIÑATAKIX PACHPA ANQÄX CHIQPACH UÑSTAWIMANXA. MÄ JUK'A ARUMPIXA, ¡UKA CHIQAWJ LAYKUX MANQHAN IRNAQAWIMX SARANTASKAÑAMAWA SASAW IWXT'APXSMA!

KUNJAMSA JAKÄWIMANX JUMA PACHPAX SARNAQAWAYTA UKA TUQIT 11 UÑACHT'ÄWINAK QILLQT'AM:

1. 1. UKAXA MÄ JUK'A PACHANAKWA LURASI.

_____
_____
_____ UKAXA
MÄ JUK'A PACHANAKWA LURASI.

2. 2. UKAXA MÄ JUK'A PACHANAKWA LURASI.

_____

_____

_____ UKAXA

MÄ JUK'A PACHANAKWA LURASI.

3   .

_____

_____

_____ .

4   .

_____

_____

_____ .

5   .

_____

_____

_____ .

6   .

_____

_____

_____ .

7   .

_____

_____
_____
_____ .

8   .

_____
_____
_____ .

9   .

_____
_____
_____ .

1   o   .

_____
_____
_____ .

1   1   .

_____
_____
_____ .

JUTÏRIN THAKIMAR JAN
JARK'AQAÑATAKEJJ 11 TOQETWA
QELLQT'ASIÑAMA:

1. 1. UKAXA MÄ JUK'A PACHANAKWA LURASI.

_____

_____

_____ UKAXA
MÄ JUK'A PACHANAKWA LURASI.

2. 2. UKAXA MÄ JUK'A PACHANAKWA LURASI.

_____

_____

_____ UKAXA
MÄ JUK'A PACHANAKWA LURASI.

3   .

_____

_____

_____ .

4   .

_____

_____

_____ .

5
_____
_____
_____ .

6
_____
_____
_____ .

7
_____
_____
_____ .

8
_____
_____
_____ .

9
_____
_____
_____ .

1   O   .
_____

_____
_____ .

1   1   .

_____
_____ .

UKA 3ONI ARRENDADOR DE INTENCIÓN UKAXA

¡WALJA PACHANAKAX ESPACIO UKAT TIEMPO UKANAKANW UTJI!

176206

Tiempo viaje kunjamatix género de ciencia ficción ukax chiqpachanx 6o dimensional ukat juk'amp jach'a lurawiwa. Ukham lurañatakix mä eje de tiempo 6o dimensional ukaw jist'arañama, ukax ascensor ukham irnaqañapawa, espacio ukat tiempo ukanakan. 6D pacha eje ukax kuna chiqarus mä conjunto de posibilidades 5D ukat secuencias espaciales de eventos 4D ukaruw puriyaspa. Walja civilización interestelar ukanakax jiwasan civilización ukanakat sipanx yaqha pachanw utji. Uka chiqätapatxa, walja uka civilización interestelar ukhamarak fuera mundial ukar sarañatakix espacio ukat tiempo ukanakan sarañasawa. Mä wakiskir chiqanchawix janiw chiqpachans pachar kutt'ktanti, " qhipharux " kutt'añ yant'añax janiw mä loqhe ch'ama ina ch'usar apt'añakikiti, jan ukasti

JAN AXSARAS JAN WALT'AYIRIWA PACHPA RAZONANAKAMP YANT'AÑAX KUNJAMATIX KUNATS NECROMANCIAX JAN WALI IWXT'ATA KUNATIX JANIW LURAÑJAMÄKITI JIWATANAKARUS JAKTAYAPXARAKINIWA. UK YATIPXAM, NAYRA PACHAX JANIW UTJKITI UKAT JIWAÑAS JANIW UTJKITI. UKAX KUNATSA UKHAMAXA, KUNATIX CH'AMAX JANIW LURATÄKASPATI NI T'UNJATÄKASPATI, JAN UKASTI, CH'AMAX MACHAQ UÑSTAWINAKARUW JAYSAÑAPA. UKHAMÄTAPATXA JANIW KUTT'ANKTATI NI JIWATANAKARUS JAKTAYARAKTATI. UKHAMAKIPANSTI NAYRAR SARTAÑAMAWA MÄ SECUENCIA DE EVENTOS NAYRIR UKARU UKAT JAN UKAX MUNAT JIWATANAKARUX NAYRAR SARTAÑAMAWA MACHAQ JAQIR TUKUÑATAKI. UKAT UKA VASO YANT'ÄTA UKHAJJA, JAKTATANAKAMATAK MÄ SUMA VASO AMPARAMAN UTJAÑAPATAKIW CH'AMACHASIÑAMA, WALI USUNTAT EWJJT'ATAWA. JUMATÏ NAYRA

TIEMPON MÄ PUNTOR SARASMA UKHAJJA, UKAJJ JUTÏRIN UTJASKAKIWA, TAQE JAQENAKAN NAYRA SARNAQÄWIPAKÏKCHISA. UKHAM SASINXA, NAYRA PACHANAK JAN WALT'AYASMA UKHAXA, JUMA PACHPAW TIEMPO UKAT JUTÏR PACHANAK JAN WALT'AYAÑATAKIK YANAPT'TA. AKA ESPACIO UKAT TIEMPO UKAR SARAÑAX MÄ EJE DE TIEMPO 60 DIMENSIONAL TUQIW JUK'AMP APNAQASI, YAQHA CIVILIZACIÓN INTERESTELAR UKAT MUNDOS UKANAKAR MANTAÑATAKIX MEDIOS DE UN POZO DE GUSANO UKAT JAN UKAX SISTEMAS PORTALES UKANAKAMPI. NAVES ESPACIALES UKANAKAX JACH'A MAYJT'ÄWINAKAR SARKASAX JANK'AKIW JAN WAKISKIRÏXI.

11 KUNAYMAN ASPECTOS DE LA REALIDAD TEMPORAL UKANAKAT

QILLQT'AM, UKANAKX JAKÄWIN YATXATAÑ MUNASMA:

1. 1. UKAXA MÄ JUK'A PACHANAKWA LURASI.

_____
_____
_____ UKAXA MÄ JUK'A PACHANAKWA LURASI.

2. 2. UKAXA MÄ JUK'A PACHANAKWA LURASI.

_____
_____
_____ UKAXA MÄ JUK'A PACHANAKWA LURASI.

3   .
_____
_____
_____ .

4   .
_____

_____
_____ .

5 .
_____
_____
_____ .

6 .
_____
_____
_____ .

7 .
_____
_____
_____ .

8 .
_____
_____
_____ .

9 .
_____
_____
_____ .

1   O   .

_____

_____

_____ .

1   1   .

_____

_____

_____ .

MÄ 2 PANKAN QILQT'ÄW QILLQT'AM, KUNAS JUMATAKIX ESPACIO UKAT TIEMPO UKAX SAÑ MUNI:

_____

_____

_____

_____

_____

_____

_____

_____

_____

_____

_____

_____

_____

_____

_____

_____

182206

Uka 31ni Arrendador de Intención ukaxa

¡Vibración ukax amplitud ukawa, frecuencia ukax nivel de presencia ukawa!

Jaqinakax amuyapxiw vibración ukar jilxatayañax frecuencia ukar jiltayañawa; janiw ukhamäkiti. Frecuenciamax kunjams yaqha aspecto de la vida

DE CREACIÓN UKANX UÑSTI . VIBRACIÓN UKAX AMPLITUD UKAWA, JANIW FRECUENCIAMPI KIKIPAKITI. AMPLITUD UKAX KUNJAMS MANQHAN UTJI UKAT WALI CH'AMAMPIW MANQHAN UTJI UKARJAMAW UÑT'AYASI. VIBRACIÓN UKAR JILTAYAÑAX WALI ASKIWA. UKAW AMTANAKAMARUX JUK'AMP KUSISIYI. FRECUENCIA UKAR JILTAYAÑAX JAN WALT'AYASPAWA JANITIX UTJKTAM AKA. AMPLITUD UKAX UKA JACH'ANCHATA FRECUENCIA UKAR CH'AMANCHAÑATAKI. MÄ ARUNXA, FRECUENCIAM JILTAYAÑAX SINTI JISK'ARUW JILXATTASPA. AMPLITUD DE VIBRACIÓN UKAR JILTAYAÑAX MÄ JUK'AMP CH'AMAN UKAT CH'AMAN UÑSTAWIW JUK'AMP CH'AMAMPIW ARKTAÑATAKI UKAT AMTANAKAM PHUQHAÑATAKI. JUK'AMP MÁGICO CH'AMAX SAPA KUTIW LIBROJANX ASKI, AKA LIBROX JUMATIX MÄ PUN MUNSTA UKHAXA! UKATPÏ AKA LIBROX QILLQT'ATA, JUMANAKAN NAYRAQATAMAN JUK'AMP AMPERAJE

UÑSTAYAÑ YANAPT'AÑATAKI, UKHAMAT AMTANAKAM JUK'AMP SUM UKAT JUK'AMP CHIQAPAR LURAÑATAKI.

SAPA URU JAKAWIMANXA 11 MODALIDADES DE FRECUENCIA UKANAKA QILLQT'AÑA UKATXA IMPLICACIONES UKANAKA:

1. 1. UKAXA MÄ JUK'A PACHANAKWA LURASI.

_____
_____
_____ UKAXA
MÄ JUK'A PACHANAKWA LURASI.

2. 2. UKAXA MÄ JUK'A PACHANAKWA LURASI.

_____
_____
_____ UKAXA
MÄ JUK'A PACHANAKWA LURASI.

3   .

_____

_____

_____ .

4   .

_____

_____

_____ .

5   .

_____

_____

_____ .

6   .

_____

_____

_____ .

7   .

_____

_____

_____ .

8   .

_____

_____
_____ .

9   .

_____
_____
_____ .

1   O   .

_____
_____
_____ .

1   1   .

_____
_____
_____ .

Sapa uru jakawimanxa 11 MODALIDADES DE AMPLITUD UKANAKA QILLQT'AÑA UKATXA RAMIFICACIONES UKANAKA JUMATAKI UKHAMARAKI JACH'A URAQPACHARU:

1. 1. Ukaxa mä juk'a pachanakwa lurasi.

Uka 33 Arrendatarios de Intención uka qillqata

_____
_____
_____ **Ukaxa**
MÄ JUK'A PACHANAKWA LURASI.

2. 2. Ukaxa mä juk'a pachanakwa lurasi.

_____
_____
_____ **Ukaxa**
MÄ JUK'A PACHANAKWA LURASI.

3 .
_____
_____
_____ .

4 .
_____
_____
_____ .

5 .
_____

_____
_____ .

6   .

_____
_____
_____ .

7   .

_____
_____
_____ .

8   .

_____
_____
_____ .

9   .

_____
_____
_____ .

1   **O**   .

_____
_____
_____ .

1   1   .

_____

_____

_____.

UKA 32NI ARRENDADOR DE INTENCIÓN UKAXA

¡KUNTÏ MAYIPKTA UKAT AMUYASIM KUNATTIX INAS JICHHAK KATUQCHISMA!

191206

KUNAPACHATÏ KUNS MUNKTAN UKHAJJA, JANIW KUNTÏ MAYKTAN UKAJJ KUNA JAN WALINAKANSA UÑJASISPA UK AMUYKTANTI. UKHAMÄPANX JUMAX IWXT'ATAWA TAQI KUNATIX MÄ AJLLIWIX UTJASPA UK AMUYT'AÑAMAWA JANÏR UKA AMTAR PURIÑKAMA. AMUYT'ASIM JANIW JAN AMUYT'ASIRÏÑAMÄKITI AKA TUQINXA UKAT UKAX WALJA CHUYMA UKAT P'IQI USUNAKAT QHISPIYAPXÄTAM. KUNTÏ MUNKTA UKAJJ WALIKÏSKITI JAN UKAJJ JAN WALÏPACHATI JAN UKAJJ JANIW KUNÄKISA UKAT KHITINAKARUS MUNKTA UK JISKT'AÑAMAWA. KUNJAMSA MÄ AMTAR PURISMA UKAT KUNA AMTANAKARUS CH'AMAM APNAQASMA UK SUM AMUYT'AÑAMAWA. UKHAM LURASAX JUMATAKIX BALANZAX TIPT'ASPAWA, UKAX NAVAJAS BORDE UKAX JUMATAKIX BALANZAN BORDE UKARUX MAYNI TUQIRUW INCLINASPA.

¿KUNA 6 YÄNAKAS JUMAX AMUYASTA, JAN AMUYT'ASIÑAMATAKIX INTENCIÓN IRNAQAWINXA?

1. 1. UKAXA MÄ JUK'A PACHANAKWA LURASI.

_____

_____

_____ UKAXA MÄ JUK'A PACHANAKWA LURASI.

2. 2. Ukaxa mä juk'a pachanakwa lurasi.

_____

_____

_____ Ukaxa mä juk'a pachanakwa lurasi.

3. Ukaxa mä juk'a pachanakwa lurasi.

_____

_____ Ukaxa mä juk'a pachanakwa lurasi.

4. 4. Ukaxa mä juk'a pachanakwa lurasi.

_____

_____ Ukaxa mä juk'a pachanakwa lurasi.

5. Ukaxa mä juk'a pachanakwa lurasi.

_____

_____

_____ UKAXA
MÄ JUK'A PACHANAKWA LURASI.

6. 6. UKAXA MÄ JUK'A PACHANAKWA
LURASI.

_____

_____

_____ UKAXA
MÄ JUK'A PACHANAKWA LURASI.

¿KUNA 11 MACHAQ YÄNAKAS
AMTANAKAMAR YAPXATAÑAMA JAN
UKAX MAYJT'AYAÑAMA SASIN
AMUYTA?

1. 1. UKAXA MÄ JUK'A PACHANAKWA
LURASI.

_____

_____

_____ **UKAXA MÄ JUK'A PACHANAKWA LURASI.**

2. 2. UKAXA MÄ JUK'A PACHANAKWA LURASI.

_____

_____

_____ **UKAXA MÄ JUK'A PACHANAKWA LURASI.**

3 .

_____

_____

_____ .

4 .

_____

_____

_____ .

5 .

_____

_____

_____ .

6 .
_____
_____
_____ .

7 .
_____
_____
_____ .

8 .
_____
_____
_____ .

9 .
_____
_____
_____ .

1   0 .
_____
_____
_____ .

1   1 .
_____

_____

_____ .

UKA 33NI ARRENDADOR DE INTENCIÓN UKAXA

MAYJT'AWIX SAPA KUTIW UTJI UKATX ADAPTABILIDAD UKAX ASKIWA MAYJT'AWINAK UTJAÑAPATAKI.

¿Kunjamsa naya pachpa mayjt'ayasma, ukhamatwa cheqpach jakañaj juk'amp sum mayjt'ayasma?

Qhiparusti jichhax walja yatichäwinakampiw armado arte secreto de filosofías antiguas y modernas. ¿Kunjamsa uka amuyunakampi ukat yatiñanakampix jakäwimar qamiriptayañataki ukat juk'amp sumaptañatakisa ukat yaqha jakäwinakar jan walt'ayañatakis apnaqasma? Kunjams mayjt'awinakar yatintapxtan ukax wali askiwa, kunjams emprendimientos ukat relaciones ukanakanx sum jikxatasipxta. Jakañax janiw atipt'asiñ anatt'äwikiti. Jakawixa mä thakhiwa kawkhantixa kunaymana yänakaxa kunaymana pachanakanxa wali askiwa.

Waljax mercado bursátil ukat sistema económico ukar uñtasitawa, sapa mayniw economía mental ukat emocional ukanipxi ukat taqiniw jach'a jach'a tukuñanaka, jach'a jach'a tukuñanaka, jach'a jach'a tukuñanaka. Kunjamsa amtanakamamp sum jakasiñamataki ukat jak'amankirinakan jakäwimatak apnaqasma. Ukajj juma pachpaw amtasma. Suma suyt'awi thakhi saräwimanxa, ukat munasiñanakatakis aka amuyunakax wali amuyumpiw apnaqañama!!!

¡Jichhax aka lurañ qillqat tukuyxasax 11 kunanaktï yaqha amtampiw lurapxäta ukanakat mä lista qillqt'apxam!

1. 1. UKAXA MÄ JUK'A PACHANAKWA LURASI.

_____

_____

_____ UKAXA

MÄ JUK'A PACHANAKWA LURASI.

2. 2. UKAXA MÄ JUK'A PACHANAKWA LURASI.

_____

_____

_____ UKAXA

MÄ JUK'A PACHANAKWA LURASI.

3   .

_____

_____ .

4   .

_____

_____

_____ .

5   .

_____

_____

_____ .

6   .

_____

_____

_____ .

7   .

_____

_____

_____ .

8   .

_____

_____

_____ .

9   .

_____

_____

_____ .

1   O   .

_____

_____

_____ .

1   1   .

_____

_____

_____ .

JICHHAX AKA LURAÑ QILLQAT TUKUYAÑAMAWA, 3 ASKI AFIRMACIONES QILLQT'ASA, UKHAMAT AMTAT THAKHINJAM SARAÑATAKI, UKAX SAPA URUX 3 KUTIW SAÑAMA:

1. 1. UKAXA MÄ JUK'A PACHANAKWA LURASI.

_____

_____

_____ UKAXA MÄ JUK'A PACHANAKWA LURASI.

2. 2. UKAXA MÄ JUK'A PACHANAKWA LURASI.

_____
_____
_____ UKAXA
MÄ JUK'A PACHANAKWA LURASI.

3. UKAXA MÄ JUK'A PACHANAKWA LURASI.

_____
_____
_____ UKAXA
MÄ JUK'A PACHANAKWA LURASI.

¡Divin bendicionanakax jumanakampïpan!

Munasiñampi Qhanampi,

Chiqpachansa,

MICHAEL LAURENCE CURZI SAT JILATAW UKHAM LURAPJJÄNA